Colour the pict

Join the dots

Colour the picture

Colour the picture

Colour the picture

Colour the picture

Join the dots

Colour the picture

Colour the picture

Complete the picture

Copy the drawing into the space on the right to complete the picture.

Colour the picture

Join the dots

Colour the picture

Colour the picture

Crossword fun

s	n		w		a
c	a		d		g
					g
				e	f

1

1

2

3

4

Colour the picture

Colour the picture

Find the way

Can you help the children
take the hat and scarf to the snowman?

Colour the picture

Colour the picture

Colour the picture

Join the dots

Colour the picture

All mixed up

Try and name the four jumbled items
in the picture.

Colour the picture

Colour the picture

Colour the picture

Complete the picture

Copy the drawing into the space on the right to complete the picture.

Join the dots

Colour the picture

Colour the picture

Colour the picture

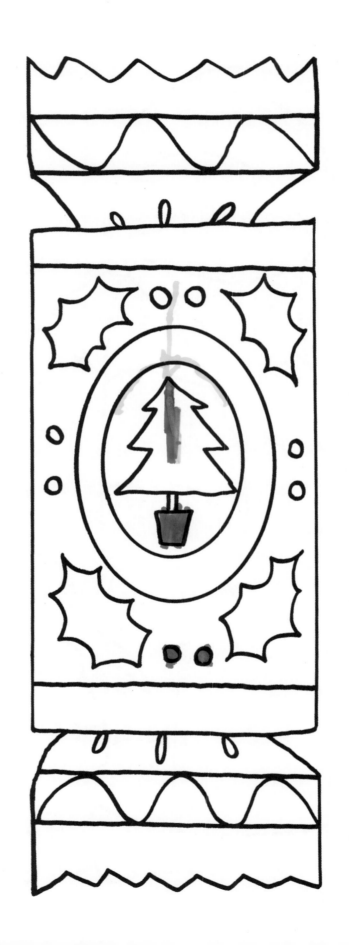

Colour the picture

Join the dots

Join the dots

Colour the picture

Seasonal sums

Add the numbers on the baubles together.
What is the total?

Answer: 15

Colour the picture

Colour the picture

Join the dots

Crossword fun

	p		d	d		n	

b	e		l	

e		f

t

s

s		n		a

Colour the picture

Colour the picture

How many snowmen?

How many snowmen can you see in the picture?

Colour the picture

Colour the picture

Finish the drawings

Help the elf complete the pictures by following
the dotted lines with your pencil.

Colour the picture

Join the dots

Colour the picture

Colour the picture

Colour the picture

Sweet dreams

Draw a picture of what you think
the boy is dreaming about.

Colour the picture

Colour the picture

Join the dots

Colour the picture

Colour the picture

Colour the picture

Colour the picture

Colour the picture

Join the dots

Colour the picture

Crossword fun

¹c		n	d			
h						
²r			i	n		
i						
³r	e		n	d		⁴r
y						b
						n

Colour the picture

Colour the picture

Colour the picture

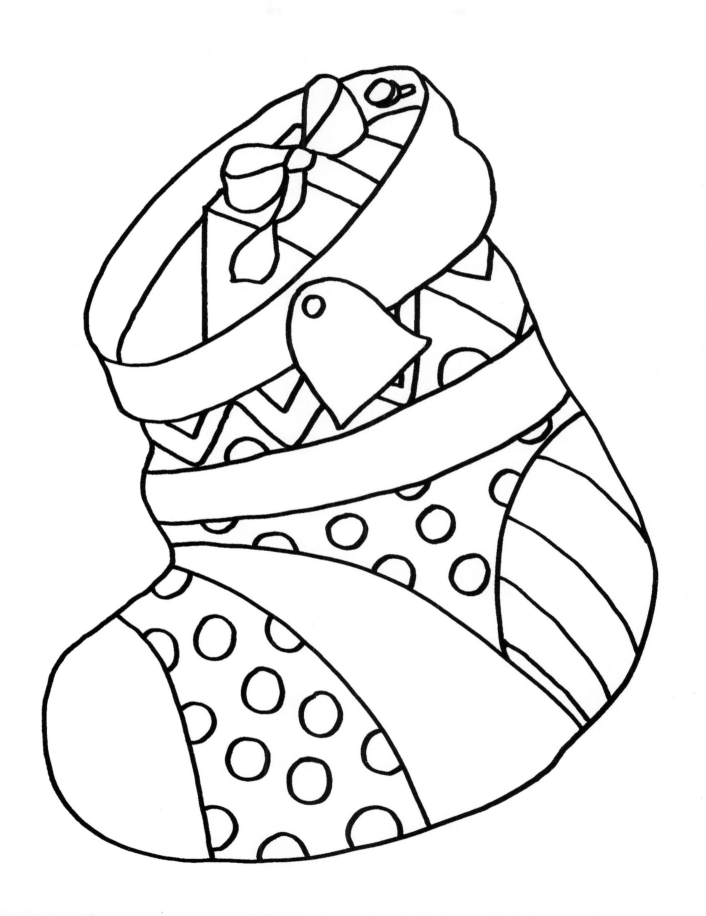

Complete the picture

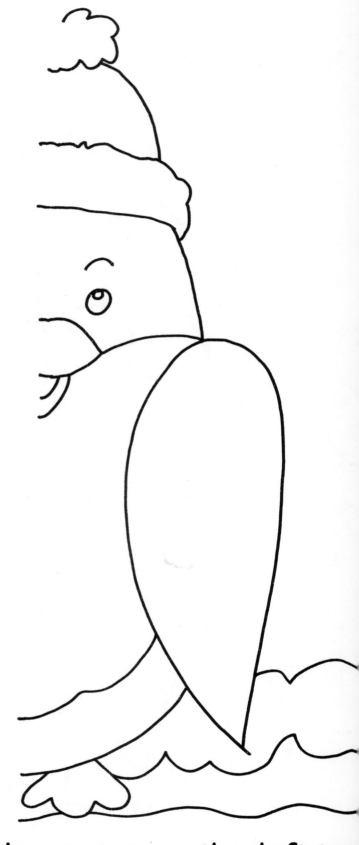

Copy the drawing into the space on the left to complete the picture.

Join the dots

Colour the picture

Colour the picture

Find the way

Find the route from the boy to the biggest present. Which two presents are the same?

Colour the picture

Colour the picture

How many trees?

How many trees can you see in the picture?

Colour the picture

Join the dots

Colour the picture

Colour the picture

Colour the picture

Colour the picture

Join the dots

Colour the picture

Colour the picture

Colour the picture

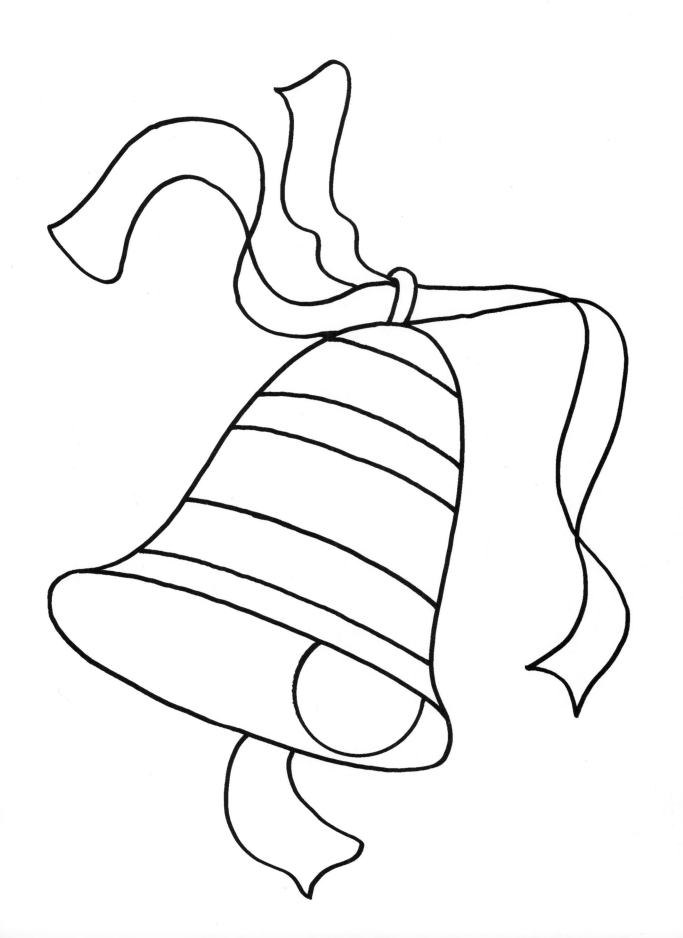

Colour the picture

Join the dots

Complete the picture

Copy the drawing into the space on the right to complete the picture.

Colour the picture

Colour the picture

Join the dots

Colour the picture

Crossword fun

Answer: 1 berries, 2 (across) sledge, 2 (down) sock, 3 robin, 4 bell.

Colour the picture

Colour the picture

Join the dots

Colour the picture

Complete the picture

Copy the drawing into the space on the left to complete the picture.

Colour the picture

Colour the picture

Join the dots

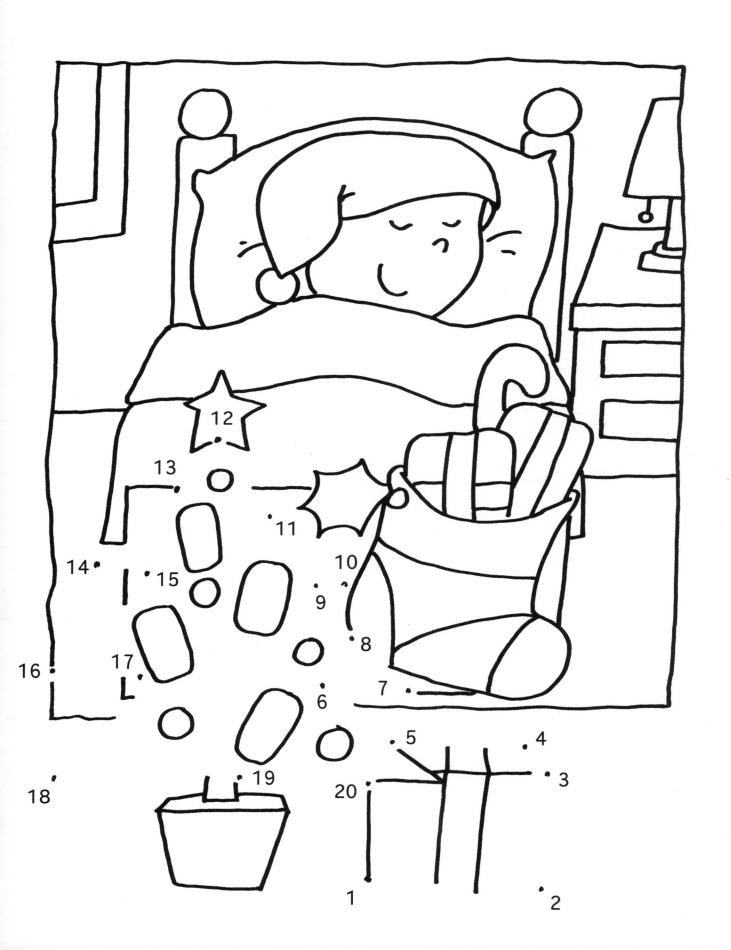

Colour the picture

Colour the picture

Colour the picture

Colour the picture

Find the way

Which path will the skier have to take to reach the finish line?

Colour the picture

Colour the picture

Join the dots

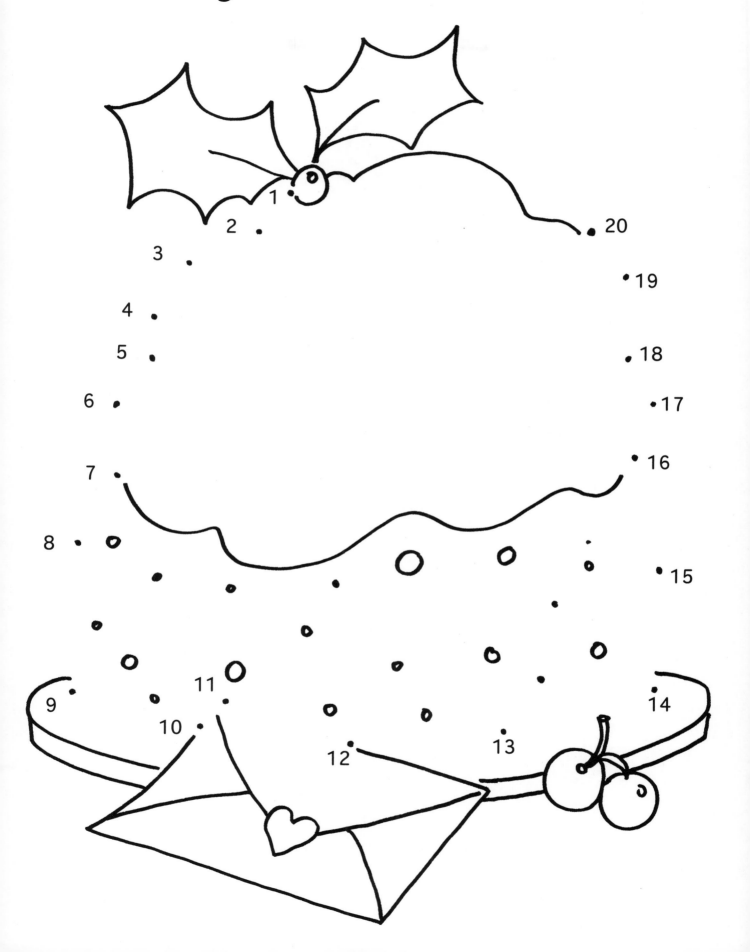

Colour the picture

Crossword fun

	¹t				⁴c		
²p	r		³s	n		
				d		
			w	e		

Answer: 1 tree, 2 presents, 3 snow, 4 candle.

Colour the picture

Join the dots

Colour the picture

Colour the picture

Finish the drawings

Help Santa finish the pictures by following the dotted lines with your pencil.

Colour the picture

Colour the picture

Colour the picture

Join the dots

Colour the picture

Crossword fun

		¹s

²s | ³s | a | | a
| | a | | |
| | n | | |

⁴h | | l | l |

h
t

1
2
3
4

Colour the picture

Join the dots

Colour the picture

Colour the picture

Join the dots

Colour the picture

Colour the picture

Seasonal sums

**Add the numbers on the stars together.
What is the total?**

Colour the picture

Join the dots

Colour the picture

Join the dots

Colour the picture

Join the dots

Colour the picture

Colour the picture

Sweet dreams

Draw a picture of what you think the girl is dreaming about.

Colour the picture

Colour the picture

Colour the picture

Colour the picture

Join the dots